JONATHAN

COSEY

Neal et Sylvester

ED EDITIONS DU LOMBARD
BRUXELLES   PARIS

Il a été tiré de cet ouvrage
1.750 exemplaires numérotés et signés,
reliés sous couverture toilée rehaussée
d'une illustration en couleurs.

Dépôt légal : Octobre 1983
ISBN 2-8036-0420-5

Imprimé en Belgique par Proost sprl.

Editions du Lombard, Bruxelles
D 1983/0086/1651

Trois jours déjà que nous tournons en rond dans ce maudit brouillard.

Les dernières provisions sont avalées depuis longtemps. Il ne reste que la pluie et l'eau des torrents pour nous désaltérer.

Aucune idée de notre position. Nous sommes de plus en plus faibles. Le moral baisse. Ce merveilleux trek himalayen est en train de se transformer en cauchemar...

De plus, l'état de santé de Helmut commence à devenir inquiétant...

Neal
et
Sylvester

Par Cosey
Couleurs : Fraymond

5

Les premières pluies tombent depuis une semaine déjà. C'est le début de la mousson, et le moment de redescendre en plaine...

L'échange de quelques pièces de fromage de la saison précédente m'a permis de vivre ces deux derniers mois parmi les habitants de Phugra. Deux mois au cours desquels j'ai tenté de regrouper mes notes, observations, idées griffonnées sur deux petits cahiers qui me suivent depuis le début de mes pérégrinations himalayennes...

Sept ans, déjà.

Sept ans que j'essaie de...

8

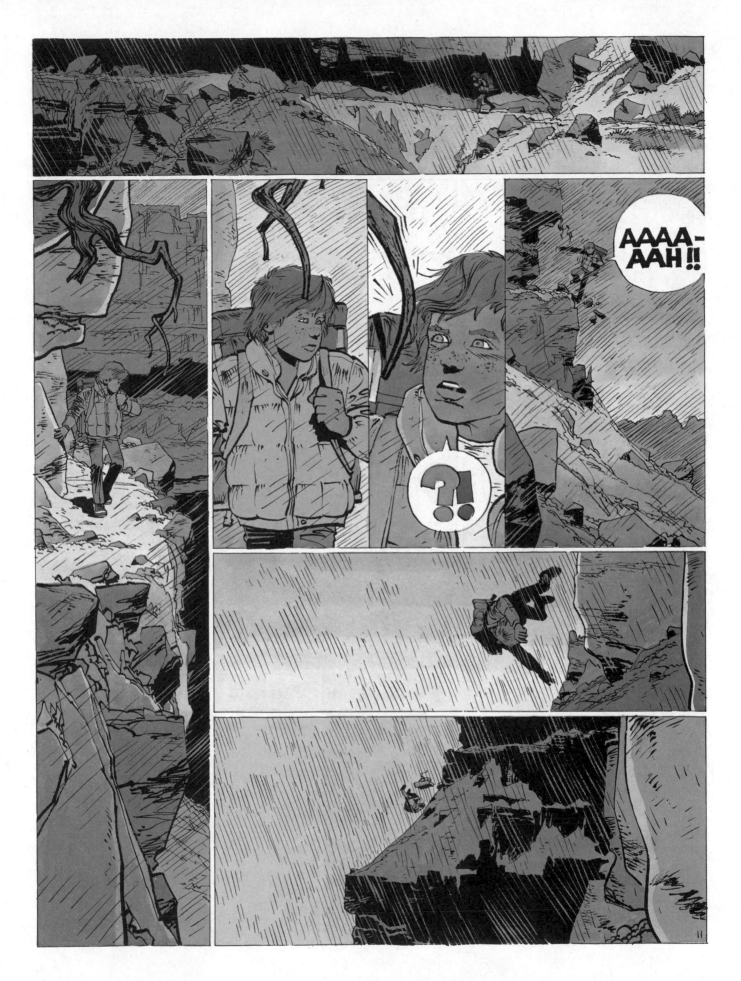

15

20

21

22

Le soir..

Les Chinois ont inventé les pâtes alimentaires, et c'est Marco Polo - ou quelqu'un qui les a ramenées en Italie !

Tu vois, Sylvester : ce qui est incroyable, c'est que en réalité, les pâtes "italiennes" sont originaires de Chine.

Sylvester ne mangera pas ce soir. Tu peux avoir sa part.

29

On va retourner à la tente pour te sécher et boire quelque chose de chaud.
Et puis tu me raconteras ton histoire.

Nous avons long-temps connu les petits appartements, les hôtels minables de Chelsea, Daddy, Mom et moi ...

Un jour, brusquement, il y a trois ans, le succès est venu. Une exposition à New York... Les snobs se précipitai-ent sur mon père. Chacun voulait connaître le grand Barnett Slivno, le génie du siècle, le nouveau Picasso !

Il fallut signer des contrats. Produire davantage chaque jour ... Daddy était dépassé, mais c'était super ! Il pouvait réaliser ses projets les plus fous ! Et plus les oeuvres étaient démentes, plus les commandes afflu-aient. L'argent coulait à flots. Palaces, voitures de sport et tout ça. —Une Jaguar type "E" !

Regarde !

SLIVNO, MAITRE DU PAYSAGE, PE DE L'UTOPIE

—Barnett Slivno

"C'est moins par sa forme que dans le regard du spec-tateur que réside l'oeuvre d'art. Car c'est bien le rôle de la véritable oeuvre artistique que de renvoyer l'homme à lui-même ; à son éternité. Les salons de l'Hôtel Plaza à New York avaient rarement connu tant d'enthousiasme. ...l'artiste bulgare...

Et puis, Daddy en a eu marre. Ou peut-être qu'il était essoufflé?
En tout cas, il ne parvenait plus à sortir quoi que ce soit de ses crayons.
Seulement voilà, il y avait les contrats.
Alors on a commencé à lui proposer des arrangements. Des "nègres" travailleraient pour lui. Il n'aurait qu'à signer...

Le résultat, c'est que un mois plus tard, il s'envolait pour Katmandu, via New Delhi... Il voulait faire une pause.
Deux moïs, six, peut-être reprendre son souffle, se retrouver.

Comme convenu, il nous écrivait tous les quinze jours. Sa quatrième lettre était surprenante.
Daddy, plein d'enthousiasme, exalté, s'apprêtait à réaliser une nouvelle oeuvre inspirée par les paysages himalayens, une oeuvre grandiose, disait-il ...

29

Sa dernière lettre mentionnait quelques détails pratiques. Il parlait du col de Phalisung-la. Puis plus rien. Le silence.

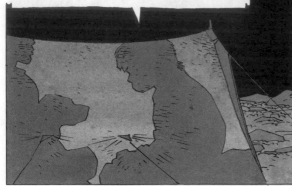

Enfin, un mois plus tard, la lettre de l'Ambassade annonçant son décès. On avait retrouvé son corps avec ses papiers au fond d'un précipice.

Nous sommes partis pour Katmandu, Mom et moi. Elle voulait signer les papiers, et tout... Le psychanalyste disait que c'était bien, que c'était la meilleure façon d'accepter la réalité. Voir les choses en face pour pouvoir un jour oublier.

Mom a signé ces papiers, mais ça ne l'a pas aidée. Moi... je ne pouvais pas y croire! Je ne pouvais pas!

Et puis, il s'est passé quelque chose... Je marchais dans les ruelles de Katmandu. Tout à coup : Je rencontre Sylvester!

Sylvester !!!

Sylvester était mon ami lorsque j'avais cinq ou six ans... Un frère imaginaire. Nous jouions ensemble toute la journée. Parfois, on avait des conversations à trois, Daddy, Sylvester et moi.

Sylvester ne croyait pas à la mort de Daddy! Lui non plus!!

30

Impossible de convaincre Mom ni personne...
Alors on a décidé de s'enfuir, Sylvester et moi.
On a décidé de partir à la recherche de Daddy !
La suite, tu la connais...

Je sais... c'était de la folie...

Mais maintenant c'est fini.
J'AI COMPRIS QUE JE NE REVERRAI PLUS DADDY.

On va se dépêcher de rejoindre Katmandu.
Mom doit être horriblement inquiète !

J'aurais voulu faire quelque chose, le serrer dans mes bras... Je n'osai pas.

Le lendemain à l'aube, nous attaquions la descente.

La pluie avait cessé de tomber, mais tout semblait atrocement noir.

51

33

Le chien, seul insouciant, courait avec joie sur la végétation retrouvée...

Quelques heures plus tard...

Voilà la piste de trekking. Il doit y avoir un Rest House[1] au prochain village.

1. Rest House : Petite pension. Il est généralement possible de s'y restaurer.

C'est étrange mais... j'ai l'impression que Sylvester ne reviendra pas.

Peut-être... peut-être que c'est mieux ainsi.

Tu es en train de quitter ton enfance, Neal.

La musique hindoue - sitar et tablas - accompagnée d'un grésillement continu et de nombreux parasites résonnait dans tout le hameau...

Namasté!
1.

Namasté!!

1. Namasté : bonjour népalais.

Entrez! Je suis en train de préparer une omelette.

A l'intérieur, le vacarme du petit transistor au son métallique était à peine soutenable.

JE PARIE QUE VOUS N'AIMEZ PAS LA RADIO!

GAGNÉ!!

Les trois autres voyageurs sont pareils. Vous n'appréciez donc pas la musique?

KLIK

Les omelettes baignaient dans une vieille huile rance...

Et alors?... Vous aussi, vous l'avez vue, cette chose incroyable?

Incroyable, en effet! Et pourtant...

!

33

35

Comment va votre ami ?...

De mieux en mieux ! Vos omelettes ont opéré un véritable miracle !! Je pense que nous pourrons repartir demain.

Nous tournions en rond depuis trois jours lorsque cette chose incroyable s'est présentée à nos yeux ...

Ça se trouvait de l'autre côté de la vallée, à une distance indéfinissable, à cause du brouillard...

Une longue forme jaune... comme un trait gigantesque tracé dans la montagne...

Jonathan! C'est ça! C'EST L'OEUVRE DE MON PÈRE !!! J'EN SUIS SÛR...

Est-ce que... Seriez-vous capables de situer cette chose sur une carte, ou en nous indiquant le chemin, la direction à prendre ?

Impossible ! Nous étions complètement désorientés. Je serais incapable d'expliquer comment nous avons atterri ici !...

White Sun in New York City

White Sun N.Y.

Sur les parois, des croquis, esquisses, études sur photos des différents projets de Slivno.

Trapped Eiffel

40

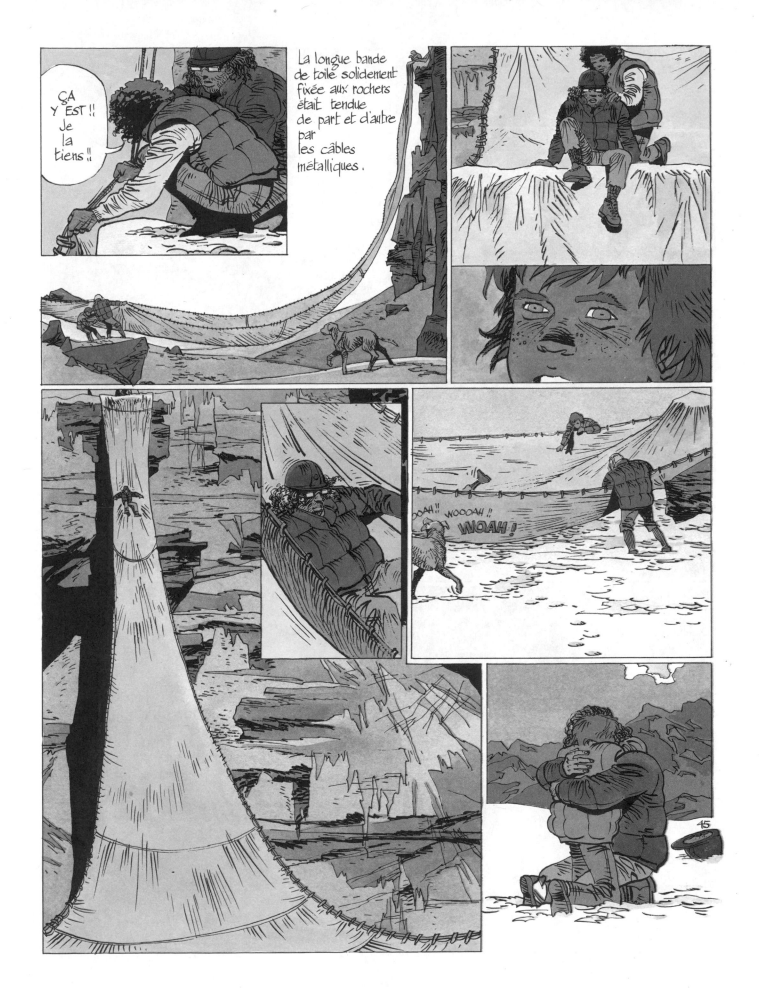

47

PRINTED IN BELGIUM BY
proost
INTERNATIONAL BOOK PRODUCTION